LA COLECCIÓN JOVEN DE ARTES DE MÉXICO

Libros del Alba

Alberto Blanco

MEDIO CIELO

Ilustraciones de

Felipe Morales

MEDIO CIELO
Primera edición, 2004.

Edición: Margarita de Orellana
Diseño: Bernardo Recamier
Corrección: Gabriela Olmos
Producción: Lourdes Martínez

Impresión: Transcontinental Reproducciones Fotomecánicas, SA. de C.V.

ISBN: 970-683-113-4
Impreso en México

Alberto Blanco

MEDIO CIELO

Ilustraciones de
Felipe Morales

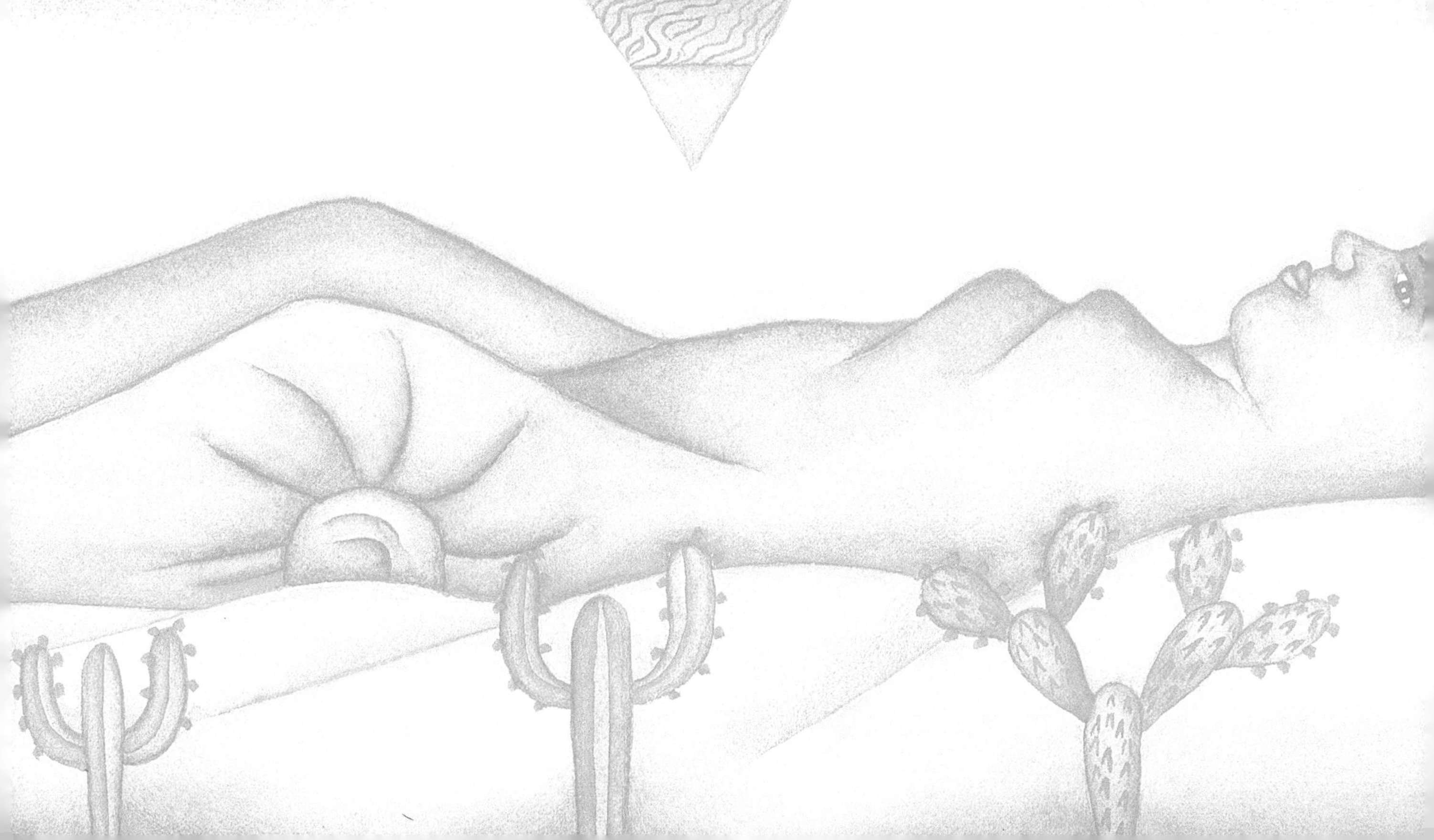

PRESENTACIÓN

Nací entre libros, rodeada de ellos. Pertenezco a la cuarta generación de una familia que vive gracias a los libros. Mi bisabuelo materno fue un librero-editor; mi abuelo continuó este oficio; mi madre trabajaba con mi abuelo; mi padre también tuvo una librería; mis tíos, hermanos, primos y demás familiares se han dedicado, de alguna manera, al negocio de los libros. El olor a libros se me ha impregnado en la memoria. Cuando aspiro el polvo de alguna biblioteca o librería, la mente me transporta inmediatamente a mi infancia, entonces recuerdo a mi abuelo, a mi padre y a mi madre.

Mis primeros pasos debieron haber sido entre libros, aunque no me acuerdo muy bien; lo que sí recuerdo es haber visto siempre paredes repletas de libros, haber jugado escondidillas o haber escalado montañas de ejemplares en las bodegas de la librería de mi abuelo, Manuel Porrúa Pérez, ubicada en la calle 5 de mayo en la ciudad de México.

La mayoría de los sábados y durante vacaciones gozaba acompañar a mi abuelo y a mi madre a trabajar. En las temporadas en las que se vendían libros de texto atendía a clientes que recorrían todas las librerías de centro de la ciudad de México en busca de textos escolares. El ambiente era similar al metro en hora pico: las colas eran eternas, la gente estiraba los brazos y mostraba las listas de libros con la esperanza de que alguien los atendiera. ¡Qué más daba, entre tanta tardanza, que una niña estuviera dispuesta a ayudarles! Ésa fue mi primera experiencia agilizando la memoria para localizar los libros deseados entre miles de ejemplares. Aquellos días inolvidables me hicieron comprender y admirar a mi abuelo, su amor por los libros, sus conocimientos. Él disfrutaba su trabajo como nadie, platicaba con los clientes y solía atenderlos. Muchas veces, mi abuelo fiaba a la gente que de plano no podía pagar sus libros; les decía: "no se preocupe, cuando pueda me paga." Y la verdad es que esas personas volvían y se convertían en clientes asiduos de la librería.

Mi padre, Manuel Grañén Moré, tenía su librería en el pasaje de Niza, en la esquina del Paseo de la Reforma, en la capital mexicana. Esta empresa estaba dedicada a vender libros de arte, literatura y, por la afición que mi padre tenía por los toros, la librería se convirtió en un sitio frecuentado por los bibliófilos taurinos. Pero cuando yo visitaba a mi papá, no vendía un solo libro, sino que me dejaba seducir por las portadas, accedía a ellas, me quedaba horas hojeando los ejemplares. Era una sed que jamás se saciaba .

La librería de mi padre tuvo momentos muy difíciles, sobre todo a partir del temblor de 1985, cuando los locales comerciales vecinos cerraron sus puertas. El pasaje se quedó desolado y era poco frecuentado. Sin embargo, la constancia y tenacidad de mi padre, la buena administración del negocio y la fidelidad de sus clientes, permitieron que la librería continuara, aún en las peores circunstancias.

A los 75 años, mi padre murió a causa de un paro cardiaco, precisamente cuando se levantaba para ir a trabajar. Jamás faltó a su librería, que era la ilusión de su vida. En ese entonces, yo vivía en Oaxaca, adonde me había ido a radicar, justamente a causa de los libros. Gracias a Francisco Toledo, tuve la oportunidad de organizar el fondo bibliográfico de la Universidad Autónoma Benito Juárez de Oaxaca, una de las bibliotecas más importantes del país, y también de dirigir el Instituto de Artes Gráficas de Oaxaca que cuenta con una magnífica biblioteca sobre libros de arte.

La noticia de la muerte de mi padre me dejó helada; no quería regresar a vivir a la ciudad de México, pero tampoco quería abandonar la librería que llevaba 27 años de existencia. Cerrarla habría significado una pérdida emocional no sólo para mí, sino para la cultura de México. En ese dilema, con el apoyo incondicional de mi marido, Alfredo Harp Helú, se solucionó el asunto: restauramos un magnífico inmueble en la calle peatonal de Macedonio Alcalá y trasladamos el negocio a Oaxaca. Desde su inauguración, la Librería Grañén Porrúa se ha convertido en un sitio agradable, frecuentado por los lectores oaxaqueños y visitantes de la ciudad.

Hace aproximadamente un año, recibí un fólder con los poemas de *Medio Cielo* de Alberto Blanco, ilustrados por Felipe Morales. Mi amistad con Alberto, la lectura de los poemas, y la mágica correspondencia que me enviaba Felipe Morales, a quien después tuve el gusto de conocer, me convencieron de publicar este libro. Su aparición coincide con la conmemoración del V aniversario de la Librería Grañén Porrúa en Oaxaca y el XXXIII de haberse fundado en México.

Medio Cielo conservará, como tantos libros, el polvo de la memoria, el olor que evoca el recuerdo, la remembranza que me hace a mí misma y el gusto que me ofrece el estar consciente que yo también vivo gracias a los libros.

María Isabel Grañén Porrúa.

Oaxaca de Juárez, Oaxaca, octubre de 2004.

A

la

otra

mitad

del

cielo

MEDIO CIELO

Árbol de la vida
no hay nada mejor
que la ropa limpia
y un rayo de sol.

Copa del naranjo,
sombra del calor,
luz del medio cielo
para el corazón.

EL ÁRBOL

En el árbol del tiempo
el espacio es tan real
que muchas veces siento
que voy a despertar.

Es el tronco mi cuerpo,
la raíz... la razón,
la copa el sentimiento,
cada rama una acción:

Las flores, los amores;
la fruta, la pasión;
la savia, los humores;
la luz, el corazón.

La médula es el bien,
la corteza es el mal,
la semilla el principio
y la sombra el final.

Felipe Morales L.
2001

LA PALMA

Cada vez que una palma
se yergue en un poema,
ya sabemos que el alma
es lo que nos espera...

Y cada vez que el alma
entra a jugar el juego,
sabemos que la calma
es lo que viene luego.

¿Y después de la calma
qué cabría esperar?
Tal vez que el alma vuelva
con calma hasta el palmar...

¿Y después de la palma
cómo seguir el juego?
Borrando toda huella
para empezar de nuevo.

LA MANO

Las luces de los cactos
me iluminan la mano:
hay un canto en la noche
y una noche en el canto.

Las luces de los cactos
me iluminan la palma:
quiero tocar la aurora
con el cuerpo y el alma.

El destino de frente
y el destino de lado:
los hados solamente
nos conceden lo andado.

El destino nos forma
y el destino nos nombra:
¡una mano de luz...
y una mano de sombra!

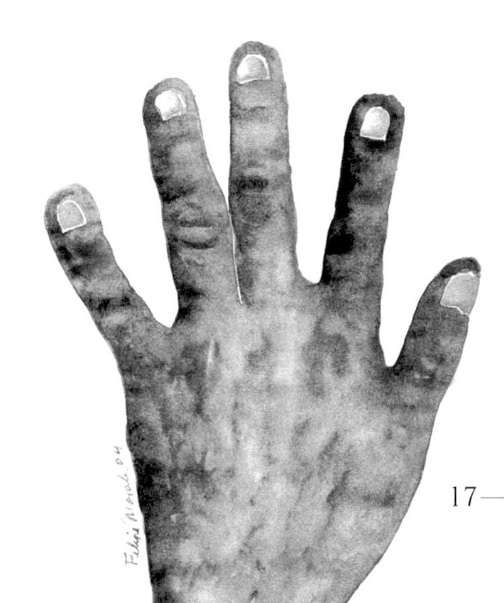

LA FLOR

Yo no pido mucho:
un poco de espacio
para cada astro,
para cada flor.

Yo no pido mucho:
un poco de tiempo,
la noche en silencio
para ver el sol.

Yo no pido mucho,
todo está correcto:
todo es un proyecto
que vela otra voz.

No reclamo nada,
que el mundo imperfecto
no es más que un dialecto
que sólo habla Dios.

Felipe Morales 02

LA FRUTA

El sol es la naranja
de la niña del ojo,
azúcar de la luz
y sales del instante.

Y Marte a la distancia
es sólo un fruto rojo
en el mantel azul
de Júpiter tonante.

No miento cuando digo
que las uvas son Venus
y Saturno es el hado
que en el cielo me espera...

Ni miento cuando digo
—manzana más o menos—
que Mercurio es alado
y que la Tierra es pera.

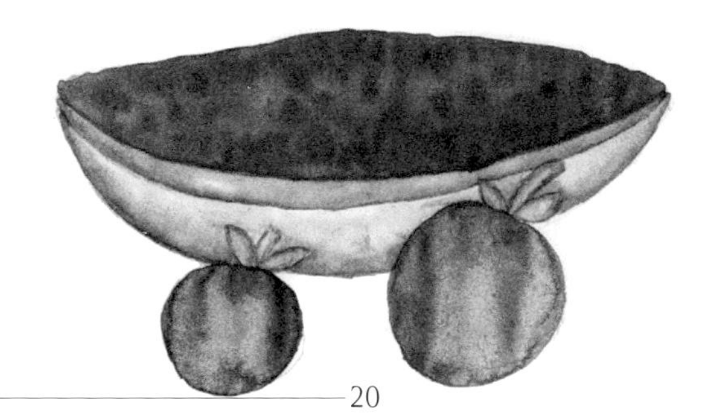

LA MESA

Con el sol en lo alto,
sin sombra de duda,
la mesa nos brinda
toda su hermosura.

La única sombra
de duda me queda
en cuanto a la forma
de comer afuera...

Al sol, por lo visto,
le gusta el cubierto
lo mismo en la mesa
que en el campo abierto.

Con un mantel de aire
y un poco de luz
ya tenemos mesa...
¡Digamos salud!

EL CABALLITO

Minuciosa la sal
rodando en el mantel:
la música es azul,
el circo es un pastel.

Azúcar minuciosa
recorriendo la pista
y la elipse perfecta
que dibuja un artista.

El oficio, el olfato,
la ovación y la vista:
los caballitos blancos
de estirpe surrealista.

Roja, blanca y azul
la espuma del mantel.
Rojo, blanco y azul
el caballito aquél.

Felipe Morales L.
2001

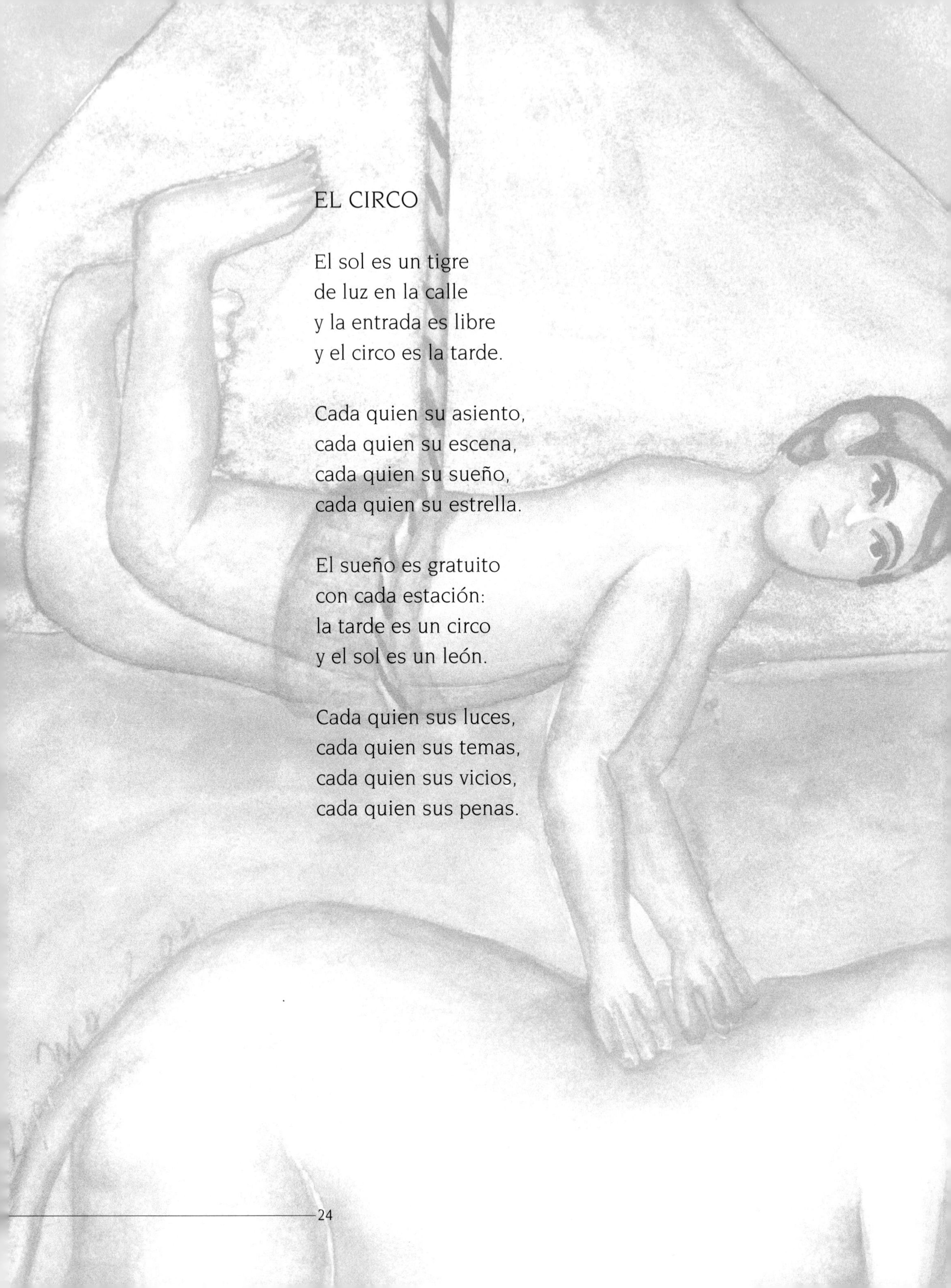

EL CIRCO

El sol es un tigre
de luz en la calle
y la entrada es libre
y el circo es la tarde.

Cada quien su asiento,
cada quien su escena,
cada quien su sueño,
cada quien su estrella.

El sueño es gratuito
con cada estación:
la tarde es un circo
y el sol es un león.

Cada quien sus luces,
cada quien sus temas,
cada quien sus vicios,
cada quien sus penas.

EL ARLEQUÍN

Hay una botella
con las hojas verdes
que se enciende sólo
cuando tú lo quieres.

El cristal ofrece
rombos en el vino:
Arlequín que nada
contra la corriente.

Y aunque está sellada,
comienza a crecerle
un mundo en la noche
de promesas verdes.

Arlequín que gusta
de cumplir promesas
junto a la botella
se perfuma siempre.

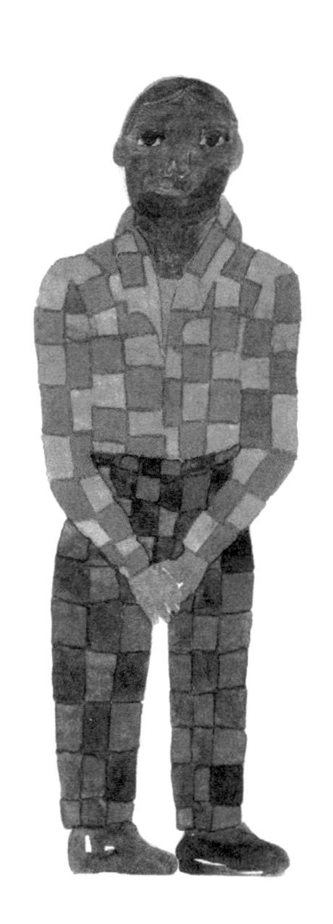

LA SIRENA

Las sirenas son perlas
en el cielo de abajo,
en el cielo del pueblo,
en el cielo del mar.

Las sirenas que pasan
de la luz a la sombra
con el viento descubren
que algo va a germinar.

Las sirenas son perlas
en el fondo del cielo,
con su concha labrada
por la mano del mar.

A mí me basta verlas,
a mí me basta oírlas…
y escuchar con los ojos
y verlas escuchar.

Felipe Morales 02

LA FIESTA

Sirenas y disfraces,
ya no puedo escapar:
sentado en la escalera
me tengo que esperar.

De adentro hacia afuera,
de afuera hacia adentro,
¿si llegan a la fiesta
me reconocerán?

Pues como están contentos
se dan hoy un respiro...
y enfrente del espejo
comienza un nuevo giro.

De afuera hacia adentro,
de adentro hacia afuera,
¿si me voy de la fiesta
me reconocerán?

EL ESPEJO

El mundo es un espejo
y en el fiel del instante
encuentra su equilibrio
la balanza del cielo.

Sólo un poco de sol,
solamente una imagen,
y un puñado de sombras
prendidas del recuerdo.

Sólo el paso final,
solamente un remate,
es lo que falta aquí
para parar el tiempo.

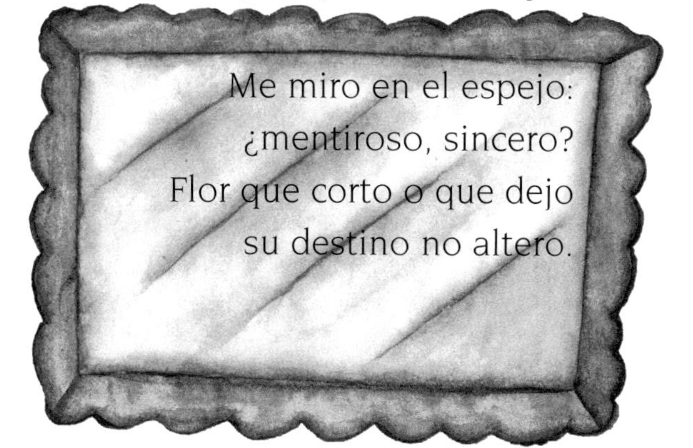

Me miro en el espejo:
¿mentiroso, sincero?
Flor que corto o que dejo
su destino no altero.

EL SOMBRERO

Lo primero es primero:
me miro en los retratos...
¡el cielo de sombrero,
la tierra de zapatos!

La mirada en el centro
y el mundo donde quiera:
el paisaje de adentro,
el paisaje de afuera.

Aquí cambia la forma,
allí cambia el color...
la vida se transforma:
¿qué será lo mejor?

Porque al final yo quiero
abolir los retratos...
¡la tierra de sombrero,
y el cielo de zapatos!

Felipe Morales L.
2001

EL MARCO

Una ola se levanta
azul en el retrato
y parece un fantasma
pero es un garabato:

Un cándido ideograma,
una imagen y un marco,
que la vida nos manda
tan sólo por un rato.

Naranja el sol, *de facto*
azul de sol, el cielo...
de pronto me retracto
mas luego me reintegro.

Tan sólo por un rato
y por eso me alegro:
primero un marco blanco
después un marco negro.

LAS NUBES

Una nube blanca
y una nube negra:
la tarde se estanca
y el cielo se alegra.

Cabellera rubia,
cabellera gris:
amenaza lluvia
la tarde de abril.

Cabellera gris,
cabellera roja:
cada cicatriz
del cielo se nota.

La cortina verde,
la cortina azul:
la tarde se pierde...
se enciende una luz.

LA BANDERA

La mano santa
de la bandera
nos lleva siempre
la delantera.

Sólo un escudo,
sólo un pendón
que en cada nombre
tiene un patrón.

Tras la bandera
sólo uno mismo;
tras uno mismo,
ningún consuelo.

Sólo un abismo
bajo otro abismo...
¡somos ceniza
mirando el cielo!

Felipe Morales L.
2001

LA CALLE

Desierto de la aurora,
amanecer del canto:
el mundo da la hora
y yo no me levanto.

Los pájaros del alba
descorren las cortinas:
en el mundo que canta
yo sólo miro ruinas.

No hay nada qué decir:
la calle se desdora...
lo importante es vivir
el aquí y el ahora.

Y en las ruinas del alba
me parece que veo
una señal muy clara
de todo lo que creo.

EL CATRÍN

Allí va el catrín
de la sombra larga
con su calle gris
y con su corbata.

Bajo la lironda
cúpula del cielo
su peluca grande
y su breve infierno.

Un brillo muy sordo,
un carro silbando,
un silencio tenso
y una voz de mando:

La ciudad ataca,
la ciudad engaña,
y el catrín emplea
más que fuerza... maña.

LA DAMA

Pasión del espejo
la noche del viernes;
misión del reflejo:
un cosmos en ciernes.

Se mira despacio,
se viste en silencio
y cruza el espacio
un perfume lento.

Así son las damas
que frente al espejo
comedias y dramas
arman sin consejo.

Y es que la belleza
también forma parte
de lo que comienza
y acaba en el arte.

Felipe Morales
03

LA LLUVIA

Ciudad encantadora,
ciudad que quiero tanto:
llueve desde la aurora
hasta el final del canto.

Llueve desde el verano
hasta el fin del invierno:
lágrimas en la mano
que dicen lo que siento.

Y estoy con los oídos
atentos a tu voz:
tal vez prefiero el ruido...
la música es atroz.

O tal vez yo prefiero
no moverme del centro:
en medio del silencio
con tu recuerdo dentro.

EL HIELO

El hielo es un planta
que crece para adentro
porque si no, se apaga
con el calor que siento.

Con las horas contadas
y la luz en el centro,
el invierno de siempre
y por siempre el invierno.

Sus horas son visibles:
cristales y ventanas…
reflexiones y espejos
de todas las mañanas.

Raíces invisibles.
Raíces relucientes.
Raíces instantáneas.
Raíces transparentes.

EL MAGUEY

Ascuas heridas,
puntas quemadas:
¡oh temporadas!
Vidas y vidas...

Rimas trilladas,
pencas floridas,
vidas vividas
entre miradas.

Máscaras de agua,
máscaras vivas,
espinas bravas,
puntas altivas.

Y ya encendidas
o ya apagadas:
rimas quemadas
pencas floridas.

LA ESCOBA

Varas atadas,
las letras muertas...
y desatadas,
las lenguas vivas...

Que la ladera
lleva al molino
pero el molino
no dice nada.

Varas atadas,
las sombras secas...
y desatadas,
las luces limpias...

Porque el trabajo
lleva a la escoba
pero la escoba
no dice a nada.

EL ARCA

Liebres y vacas,
gallinas, iguanas:
arca de los cielos,
astros de verdad.

La luna blanca
enciende la vela
para que la noche
sepa a dónde va.

Pájaros, grillos,
caballos y ranas:
arca de las nubes,
flores de verdad.

Sol amarillo
toca la campana
para que este día
pueda comenzar.

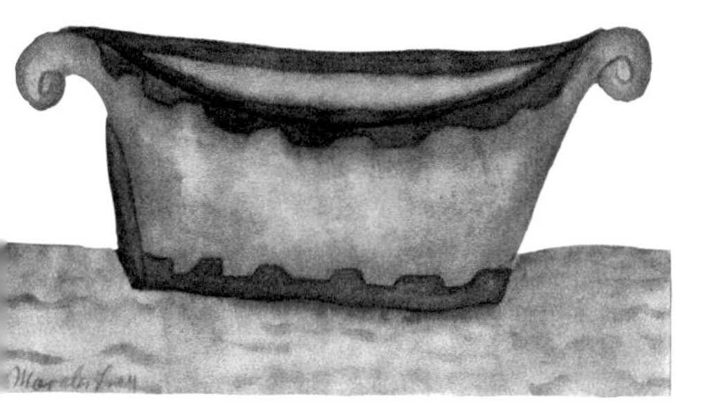

LA CARRETA

Hombres, mujeres,
voces y niños:
viajeros fieles
por los caminos.

Polvo que va,
polvo que viene...
su sombra larga
no se detiene.

Flor de veleta,
flor de ceniza,
que la carreta
no lleva prisa.

Silencio de oro
para la gente...
y entre las ruedas
¡luz de repente!

Felipe Morales L. 2001

EL CAZO

¿Qué caso tiene el cazo?
¿O es que acaso es un chiste
que la forma del cazo
nos recuerde un eclipse?

¿O será que al ocaso
sólo queda en el cielo
del perfil, un espacio,
y del color, un sueño?

Porque el caso es que el cazo
con su luz cotidiana
se transforma en un sol
de redonda obsidiana.

Con un poco de fuego
y otro poco de tierra,
hay un cazo dormido
y otro cazo que vela.

LA HAMACA

Tú dentro de la hamaca
estás dormida,
yo fuera de la hamaca
estoy despierto...

La leche de la vida
es la inocencia,
la sombra de la vida
es luz del sol...

Pues dentro de la vida
está la muerte,
y fuera de tu cuerpo
están los sueños.

Yo sólo estoy dormido
cuando siento,
pero queda despierto
el corazón.

EL SUEÑO

En el sueño del cielo
sólo tienes mis alas,
y en el cielo del sueño
sólo escucho tu voz.

Tú te quedas dormida,
yo me quedo despierto
y el sueño lo soñamos
entre nosotros dos.

En el cielo del sueño
yo vuelo con tus alas
y en el sueño del cielo
tú vuelas con mi voz.

El vuelo de las aves
es el canto del cielo
y el silencio del cielo
es el canto de un Dios.

EL ÁNGEL

Ángel de sol
aunque me pierda
dame la hora,
reloj de piedra.

La inmensidad
está de fiesta
con dos luceros
de azul y menta:

Coro en la luz,
sombra en la arena,
y arete de oro
para el que pena.

Ángel de sol,
reloj de piedra,
dame la hora
aunque me pierda.

EL DRAGÓN

La batalla de nada
y de nadie, ¿qué es?
Desenvainas la espada:
ves el mundo al revés.

Con San Jorge se abre,
con San Jorge se cierra
la batalla de nadie
y de nada: es la guerra.

Desenvainas la espada,
ves el mundo al revés,
ves la sombra pintada
y preguntas: ¿quién es?

La batalla de nadie
y de nada: ¡la guerra!
Un dragón es un ángel
con los pies en la tierra.

LA VIRGEN

La luz platica un cuento
para entender mejor
que todos los caminos
tienen su corazón.

La montaña es el cuerpo,
la cueva, la intuición,
el latido es el tiempo
y el espacio el amor...

Y la Virgen en medio
de la pupila amante
es un códice alterno
de neón y de amate.

Concedido en el sueño
(que de un sueño se trata)
el oro de los tiempos
en bandeja de plata.

2001
Felipe Morales L.

EL NACIMIENTO

Más allá de los nombres,
más acá del color,
van llegando los reyes
a buscar el amor.

Van llegando los magos
caminando al revés:
los árboles plateados
se encienden a sus pies.

Más allá de las rejas,
más acá del dintel,
ya llegan las pastores
con sus tiendas de piel.

Y en las torres agudas
de repente se ven
entre amores y dudas
los pinos de Belén.

EL COMETA

Un eclipse de sol
y un caminante
que quisiera volar
en campo abierto:

Horizonte y candor
equidistante
de la revelación
y del misterio.

Un cometa fugaz,
una cruz de aire,
mariposa de sol,
papel y viento.

El mundo es un reloj
y en un instante
es un rayo de luz
y un zigzag lento.

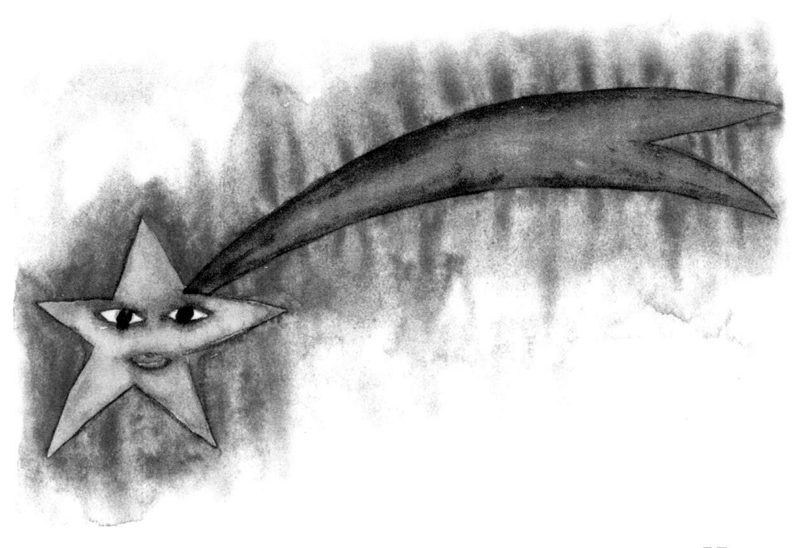

LA LUNA

La luna es un ave
con plumas de azúcar:
la mano que sabe
no la toca nunca.

La luz es la luna
y el mar terciopelo:
me contento al verla
en la paz del cielo.

La luna es un dulce,
la luz, un cometa:
¡la noche del mundo
es casi perfecta!

La luz es la luna
y el mar es coral:
me contento al verla
sólo hasta el final.

Felipe Morales L.
2001

MEDIO CIELO

Luz de la mirada,
con sed y calor
bebe el medio cielo
su dosis de sol.

Cambia la figura,
cambia la estación,
más no la semilla
de mi corazón.

Felipe Morales L.
2001

ÍNDICE

MEDIO CIELO
se terminó de imprimir y
encuadernar en octubre de 2004
en la ciudad de México en
Transcontinental Reproducciones
Fotomecánicas, S.A. de C.V. para
su composición se utilizó
tipografía de la familia Novarese.
El tiraje fue de 3,000
ejemplares